Т. РОЖДЕСТВЕНСКАЯ

АЗБУКА
В СТИХАХ

ИЛЛЮСТРАЦИИ
ИГОРЯ ЛОВЦОВА

В буквах много гордой стати,
Сыну книжка будет кстати,
Про зверят смешные строчки
Пригодятся вашей дочке.
Вот вам первая страница –
Аист, сказочная птица,
На последней бродит як,
Непричёсанный чудак.
Чтоб в стихах не заблудиться,
Надо грамоте учиться!

А

Аист – сказочная птица,
Хорошо б с ней подружиться!
Аист любит жить на крыше,
Не спугните птицу, тише...

Б

Бегемотик-бегемот
Распахнул пошире рот,
Будто распахнул ворота.
Заходи, кому охота!

В

Воробьишка прыг-прыг-прыг!
Быстро двигаться привык.
Звонок воробьиный хор,
Им ареной служит двор.

Г

Грач красив, блестящ и важен,
Точно ваксой напомажен.
Пашню облетел и сад:
Он весне ужасно рад!

Д

Дятлу клювом бить не лень
Целый день, целый день!
Тук-тук-тук! Тук-тук-тук!
Выходи из щёлки, жук!

Е
Ё

Ель зайчишку приютила,
Веткой от врагов укрыла…
Ёжик – быстренькие ножки,
Протоптал в лесу дорожки.

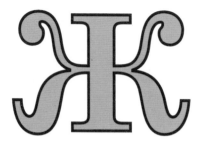

Жираф не маленького роста,
Он этажи считает просто,
Но сожалеет, что пока
Считать не может облака.

З

Зебра в белую полоску,
Зебра в чёрную полоску,
Точно кто-то шутки ради
Нарядил её в матроску.

Й

Индюк смотри какой героЙ –
За индюшат стоит гороЙ!
Распустит хвост, зальётся краскоЙ,
Все на него глядят с опаскоЙ.

К

Котик сладко-сладко спит,
У него довольный вид.
Снится котику охота,
Мышь ему поймать охота.

Л

Лебедь – дева, лебедь – пава,
Гордо смотрит влево, вправо.
Среди птиц как иностранка,
Просто царская осанка!

М

Мыши очень любят сыр,
Мыши сыр едят до дыр,
А заметив зёрен горку,
Не зевая, тащат в норку.

Н

Посмотрите, что за рог
Носит мощный носорог!
Видно, потому и строг
Этот толстый носорог.

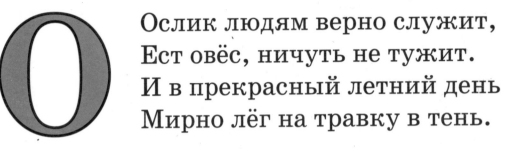

О

Ослик людям верно служит,
Ест овёс, ничуть не тужит.
И в прекрасный летний день
Мирно лёг на травку в тень.

П

Павлин – жар-птица, он из сказки,
В хвосте его горят все краски,
Шагает словно господин.
И верно – он такой один!

17

Р

Рак зарылся с горя в ил,
Белый свет ему не мил:
Вечно пятиться назад
Рак, конечно же, не рад!

С

Собака лает на луну,
Её винит во всём одну:
Неважно освещает двор,
А этим пользуется вор.

Т

Тигр рычит, он очень зол —
Убежал от тигра вол.
За волом теперь победа —
Тигр остался без обеда.

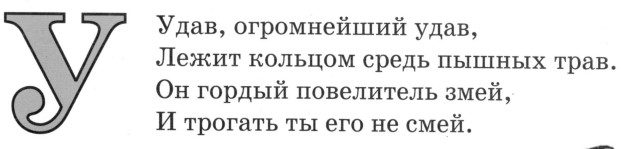

Удав, огромнейший удав,
Лежит кольцом средь пышных трав.
Он гордый повелитель змей,
И трогать ты его не смей.

Филин в чаще ночью ухал:
Нет у бедненького слуха!
Песнь его не для ушей,
Но мастак ловить мышей.

Хомячок живёт в квартире,
Нет зверька милее в мире.
Он за щёчки прячет ужин.
Что ж! Запас, конечно, нужен.

Ц

– Цапли, где же вы живёте?
– За рекою, на болоте!
По колено здесь воды
И всегда полно еды.

Ч

Что за чудо черепаха!
Никогда не знает страха:
Крыша есть над головой,
Всё своё несёт с собой!

Ш

Шмель лохматый, шмель пушистый,
Держит путь на луг душистый,
Басом целый день поёт
И нектар цветочный пьёт...

Щ

Щука-хищница быстра,
Рыбок стережёт с утра.
Челюсть мощна, зубы мелки,
Недобры её проделки!

ЪЫЬ

Козлёнок сЪестЬ хотел ромашку,
Увидел на цветке букашку.
Как бЫтЬ?! Козлёнок так напуган!
Решил бежатЬ скорее с луга...

28

Эму строен и высок,
Прячет голову в песок.
Он немножечко боится,
Не пугайте эту птицу!

Ю

Юрок ни капли не устал –
Он к вечеру резвее стал!
К тому ж заботлив наш юрок,
И мошек запасает впрок.

Я

Яку задали вопрос:
Почему он так оброс?
Як был вынужден признаться,
Что не любит подстригаться.

Азбуку от А до Я
Надо выучить, друзья!
И тогда долой подсказки,
Сам прочтёшь стихи и сказки.